QUESTIONS DE DIGNITÉ

Christine WYSTUP

Éditions ART ET COMÉDIE
2, rue des Tanneries
75013 PARIS

Cet ouvrage est réalisé avec le soutien de la SACD

SACD
Société des
auteurs et
compositeurs
dramatiques
PASSE/SIGNALE L'INDIVIDUEL

NOTE SUR L'AUTEUR

Christine Wystup est agrégée de Lettres. Elle anime des ateliers théâtre et écriture en collège, lycée, université. Elle est membre des EAT et de la Maison des Écrivains. Elle dirige la compagnie et le théâtre du Vieux Balancier (Avignon).

Ses pièces parues :

« La Fiancée du cordonnier », éditions Art et Comédie
« Question de Temps », éditions Retz
« Jeanne de Castille », éditions Art et Comédie
« Le Balayeur d'ombres », éditions Art et Comédie
« Mythiques », éditions Art et Comédie
« La Poupée de Porcelaine », éditions Art et Comédie
« Ni sorcière, ni vampire », éditions Art et Comédie
« Bordel de Dieu », éditions Art et Comédie
« Femmes sans titres », éditions Art et Comédie
« Ras-le-bol dans la famille », éditions Retz

Ses pièces jouées :

« J'ai rendez-vous avec mon double », Comédie musicale, 1992, Conservatoire de Conflans, Théâtre de Vauréal.
« La fête des mères », 1995, Théâtre Jean Damme, Paris.
« La Poupée de Porcelaine », Théâtre Essaïon, Paris, 1997, Théâtre du Bec Fin, Paris 1999, Festival d'Avignon 1999 et 2005.
« Bordel de Dieu », Festival d'Avignon 2000 et 2002.
« Question de Temps », Festival d'Avignon 2000.
« Vers les rives de Baules », Festival d'Avignon 2001.
« Jeanne de Castille », Festival d'Avignon 2003, 2004 et 2005.
« Femmes sans titres », Festival d'Avignon 2006.

Mise en scène :

« Brûlé de plus de feux ou la passion selon Racine » : montage poétique et musical sur le thème de la passion dans l'œuvre de Racine. Festival d'Avignon 2001.

LE PRIX DE LA VIANDE

PERSONNAGES

JULIETTE

BERTRAND

LOUISE, docteur

LES JURÉS

ACTE I

Juliette (une femme jeune et assez jolie) et Bertrand (un homme, la cinquantaine, chevelure poivre et sel, élégant) sont dans une pièce aménagée comme un parloir qui se veut convivial mais reste assez stéréotypé.

Le personnage du médecin, Louise, peut entrer dans la pièce, apparaître sur un écran en fond de scène, ou être évoqué par une voix off.

LOUISE - Entrez, je vous en prie. Laissez-vous bercer par ce décor convivial. *(Juliette et Bertrand entrent et observent la pièce avec curiosité.)* Que pensez-vous de ce parloir? N'est-ce pas plus chaleureux qu'un bureau de docteur ou une chambre de malade? *(Juliette et Bertrand gardent un silence gêné.)* Vous n'allez pas me dire que vous ne vous connaissez pas? Vos chambres sont dans le même couloir, à trois numéros d'écart. Mais je manque à tous mes devoirs : Juliette… Bertrand…

BERTRAND - Qu'est-ce que ces mondanités? Êtes-vous médecin, bon dieu, ou hôtesse d'accueil?

JULIETTE - Pourquoi nous avez-vous amenés ici, docteur?

LOUISE - Je suis chargée par la direction de l'hôpital de faire avec vous le point sur votre traitement. Je vous ai conviés ensemble parce que vous êtes atteints tous deux de la

7

même maladie : le virus MAX qui, dans quelques semaines, au plus quelques mois, aura détruit la plupart des cellules nerveuses de vos pauvres cerveaux.

BERTRAND - Vous me l'avez annoncé sans ménagement le surlendemain du jour où j'entrai dans cet hôpital pour un simple examen de contrôle. Merci de me le rappeler.

JULIETTE *(s'asseyant)* - Vous devez vous tromper de malade, ce n'est pas de moi qu'il s'agit, on ne sait pas trop ce que j'ai, on me fait des examens… À moins que… On ne m'a rien dit, c'est ça ? On m'a menti pendant tout ce temps, c'est ça ? Pourquoi ne m'avoir pas dit la vérité, à moi ?

LOUISE - Je savais ce que j'avais à faire. C'est au médecin seul de décider si le patient est ou non en mesure d'accepter la vérité de sa maladie. J'avais mes raisons de vous taire cette vérité, Louise. Vous n'aviez pas le profil requis, vous êtes psychologiquement beaucoup plus fragile que Bertrand. Mais la situation a évolué, des décisions doivent être prises. Je suis contrainte maintenant de vous dire à tous deux clairement ce qui vous attend. Vous êtes atteints de la même affection : même degré de gravité, même type d'évolution…

JULIETTE - Quelles décisions ? Pourquoi prenez-vous ce ton grave ? Vous allez nous sauver ? Dites, vous allez nous sauver ? Je ne veux pas mourir ! Vous êtes payée pour nous sauver, c'est un bon hôpital, ici, non ? On m'a dit que votre équipe est à la pointe du progrès, que je pouvais avoir confiance… Vous allez nous sauver, dites ?

BERTRAND *(à Juliette qui s'effondre en larmes)* - Arrêtez donc ! Vous voyez bien qu'elle nous tient comme des marionnettes au bout de leurs fils. Nous sommes à sa merci.

JULIETTE - Je veux vivre !

BERTRAND - Moi aussi, je veux vivre.

LOUISE - Voilà qui est dommage ! Cela rend caduque ma première proposition : le désistement à l'amiable. Asseyez-vous. Les émotions fatiguent. Votre pouls est monté, ma petite. Il existe des traitements pour ce type de maladie ; nous en avons essayé un certain nombre sur l'un et l'autre d'entre vous. Ils ont échoué. Il reste encore une possibilité : un traitement nouveau, très performant. Mais il est très coûteux.

JULIETTE - La vie humaine n'a pas de prix.

BERTRAND - Vous vous trompez d'époque, Juliette. Vous êtes jeune, pourtant. Je crois avoir compris ce que le docteur voulait dire.

JULIETTE - Je suis jeune, vous venez de le dire. Beaucoup plus jeune que vous. Ma vie vaut plus que la vôtre.

BERTRAND - Vous avez donc saisi, vous aussi : un seul de nous deux aura droit au traitement salvateur.

LOUISE - La société ne peut prendre en charge toutes les imprudences des malades : vous n'avez ni l'un ni l'autre sous-crit de mutuelle. Chaque hôpital a droit à un traitement de ce type par an, hors prise en charge par une mutuelle. Or – excusez-moi de me montrer aussi directe – ni l'un ni l'autre vous ne pourrez sans ce traitement survivre jusqu'à l'an prochain.

JULIETTE - Un seul traitement par an ? Alors qu'en donnant les moyens, la société pourrait sauver tous les malades ? Et vous, les médecins, vous acceptez ça ? Vous êtes tous des assassins !

BERTRAND - Juliette a raison, malgré vos grands discours. Il y a là non assistance à personne en danger. Nous sommes en droit de vous attaquer en justice…

LOUISE - Attaquer qui ? Les médecins qui font tout pour vous soigner ? La société qui, dans la limite de ses moyens, prend en charge votre maladie ? D'ailleurs, qui attaquera ? Celui de vous deux qui mourra, dans quelques mois, d'une banale complication cardiaque ou pulmonaire ? Celui qui restera saura trop bien que le prix de sa vie passe par le silence. En fait, vous me reprochez ma franchise. Vous auriez préféré que je laisse tacitement, hypocritement, mourir l'un de vous deux…

BERTRAND - Vous vous seriez au moins sentie coupable. En nous donnant le choix, vous nous faites porter le chapeau. Et quel chapeau ! Continuer à vivre en sachant que c'est au prix de…

LOUISE - Qui parle de vous donner le choix ? Ni vous ni moi ne prendrons la décision. Il est pour moi inconcevable et totalement incompatible avec ma mission de médecin de choisir entre mes malades qui sauver et qui laisser mourir. Il serait d'autre part immoral de demander à un dirigeant qui ne vous connaît ni l'un ni l'autre de décider, en lisant vos dossiers dans le secret de son bureau, qui pourra être bénéficiaire du précieux traitement. Nous avons beaucoup réfléchi ; le problème est grave et délicat. Il nous fallait vous donner des garanties d'honnêteté et d'objectivité. Nous avons volontairement écarté tout le personnel médical d'un quelconque pouvoir de décision ; ce pouvoir ne pouvait d'autre part en aucun cas être laissé à vos proches. Nous avons donc pensé proposer à un certain nombre de personnes, de simples citoyens, anonymes, inconnus de vous et de nous, de converser un moment avec vous juste pour vous connaître un peu, sans que des liens affectifs aient le temps de s'installer. Une sorte de jury populaire que je ferai entrer, quand l'instant sera venu, dans la pièce voisine…

JULIETTE - Vous allez demander à des inconnus de décider de notre sort ?

BERTRAND - Quelle mascarade de justice ! Et c'est une vie qui est en jeu ? Habile manière de restaurer la peine de mort…

LOUISE - Ce n'est pas moi qui ai pris cette décision. Cela vient de beaucoup plus haut. Mais je trouve qu'il s'agit là d'une bonne initiative. On vous laisse au moins l'occasion de vous défendre.

BERTRAND - Les taureaux dans l'arène ! Les jeux du cirque ! Combien de voyeurs prévoyez-vous pour ce spectacle à sensation ?

LOUISE - Cessez de tout ridiculiser. Nous tâchons de faire au mieux, avec les moyens du bord. Ce dialogue aura lieu à huis clos, évidemment.

BERTRAND - Dommage ! Vous auriez pu rendre l'attraction payante ; peut-être auriez-vous recueilli de quoi sauver la deuxième vie.

JULIETTE - Voilà ! C'est une idée ! Vous pourriez lancer une grande quête pour nous… J'ai bien donné, moi, pour le sida, la myopathie…

LOUISE - Bien sûr ! Vous avez donné pour des maladies médiatisées en pensant qu'elles pourraient vous atteindre, vous ou vos enfants. Votre maladie est rarissime. Moins de vingt cas en France par an. Qui va payer pour deux existences anonymes combattant une maladie qui n'est ni courante, ni contagieuse, pas même héréditaire ?

BERTRAND - Je ne savais pas que le prix de la viande avait baissé à ce point.

LOUISE - On voit que vous ne connaissez pas le prix du traitement qui peut vous sauver…

BERTRAND - Je ne veux pas le savoir! Je me fous de vos calculs mesquins! Si vous ne pouvez sauver tous ceux qui sont malades, n'en sauvez aucun, laissez-nous crever en paix.

JULIETTE - Bertrand, si vous êtes prêt, par principe d'égalité, à mourir, laissez-moi vivre, alors. Je n'ai pas honte de vous le demander : je veux simplement, bêtement, vivre, sentir la chaleur du soleil sur ma peau, pleurer devant un film triste, donner à manger à mon chat…

BERTRAND - Vous ne voudriez pas vivre sans moi?

JULIETTE - Il y a quelques minutes, je ne vous connaissais pas. Vous m'êtes indifférent, Bertrand, excusez-moi de vous le dire.

BERTRAND - Voilà qui a au moins le mérite de la franchise. Peut-être avec dix ans de moins aurais-je pu susciter plus d'altruisme dans le cœur de cette belle assassine?

JULIETTE - Cessons ce combat inutile. Gardons nos forces pour le vrai combat. Vous sentez-vous prêt?

BERTRAND - Je n'accepte pas de participer à ce jeu. Je peux me taire, refuser de me défendre.

LOUISE - Et l'instinct de conservation, qu'en faites-vous? Dès que vos trois juges seront là, vous défendrez votre bout de gras comme Juliette, parce que, comme elle, vous ne voulez pas mourir.

BERTRAND - Vous me dégoûtez profondément.

LOUISE - Je m'en fiche. Je n'ai pas à vous inspirer un quelconque sentiment. Je suis là pour vous soigner si j'en ai les moyens.

JULIETTE - Est-ce que mon âge ne me donne pas des… points ? Et le fait que je sois une femme ?

LOUISE - Des points ! Nous sommes bien sûr passés par cette étape. Un questionnaire très pointilleux avait été établi par des spécialistes… Vous récoltez tous deux exactement le même nombre de points ! Évidemment, Juliette, votre âge, votre sexe, les enfants que vous pourriez donner à notre pays, même votre joli minois sont rentrés en ligne de compte ! En face de cela, un professeur de faculté de cinquante ans, ayant un doctorat important en cours sur la littérature médiévale, s'il vous plaît… Même poids, même mesure. Pour notre société, une jolie midinette vendeuse de Monoprix vaut exactement le même prix qu'un brillant intellectuel sur le retour !

JULIETTE - J'ai de la famille… Beaucoup de famille… Ils tiennent à moi… Sans doute ne pourraient-ils pas payer mon traitement, mais peut-être pourraient-ils participer ?

LOUISE - Cela ne nous intéresse pas. Rangez donc votre famille dans votre album photo. Leurs larmes ou leurs espoirs n'attendriront personne.

BERTRAND - Pourquoi vous acharnez-vous à nous apparaître comme un monstre ? Avez-vous mis de côté toute humanité ?

LOUISE - Je suis un être humain tout autant que vous ; avec moins de cynisme, peut-être. Mais j'ai appris à prendre des distances envers les malades. Savez-vous combien de personnes j'ai vues mourir depuis dix ans ?

BERTRAND - Ainsi on peut guérir de la mort des autres ? Vous semblez en tout cas y parvenir à merveille. Un brin de sadisme, peut-être, dans votre indifférence ?

JULIETTE - Je suis prête à me défendre. J'ai réfléchi. Je sais ce que je leur dirai.

BERTRAND - Ainsi vous acceptez ce marché sordide ?

JULIETTE - Je ne vois pas d'autre solution.

BERTRAND - Refusons tous les deux. Il faudra bien qu'ils se penchent à nouveau sur notre cas !

JULIETTE - Je veux être certaine de vivre. Si nous leur résistons, ils vont nous abandonner l'un et l'autre. Une complication pulmonaire, une complication cardiaque… Ce sera vite fait !

BERTRAND - Pas si vite ! Leur traitement est nouveau. Ils ont besoin d'un cobaye.

JULIETTE - Alors désistez-vous, je serai leur cobaye.

BERTRAND - En fait vous avez déjà décidé. Vous êtes prête à vous défendre et déterminée à participer à ma mise à mort. Vous obtiendrez sans doute gain de cause. Un vieil énergumène comme moi n'intéresse personne en dehors des érudits poussiéreux de l'université. La chair flasque et les cheveux grisonnants n'ont pas de valeur sur le marché…

LOUISE - Dois-je comprendre que je peux faire entrer les jurés ? Avez vous besoin de quelques instants pour préparer votre défense ?

BERTRAND - Je ne sais même plus si j'ai quelque chose à défendre. Allez-y, qu'on en finisse !

FIN DE L'ACTE I

ACTE II

LOUISE *(voix de Louise)* - Vous pouvez les faire entrer. *(S'adressant à Bertrand et Juliette.)* Nous avons essayé, pour ne favoriser ni l'un ni l'autre d'entre vous, de varier les critères de sexe, de nationalité, classe sociale, caractère, physique, éducation, instruction, opinions politiques... Chaque juré est porteur d'un certain nombre de critères. Sachez seulement que nous avons tout pesé dans le sens de la justice et de l'égalité.

BERTRAND - Nous nous trouverons donc en face d'un petit intellectuel de gauche, d'une grande homosexuelle de droite et d'un clochard rouquin centriste ? À moins que vous n'ayez préféré un grand homosexuel rouquin, un clochard d'extrême droite...

JULIETTE - Nous n'avons pas d'autre possibilité que de vous faire confiance. Faites-les entrer.

BERTRAND - Vous avez hâte de pénétrer dans l'arène...

JULIETTE - Louise, ne partez pas. J'ai peur. Vous ne nous gênerez pas.

BERTRAND - Vous croyez vraiment qu'elle prendrait le risque de s'attacher à nous, d'être sensible à quelque parole, de se laisser toucher par une expression de visage ?

JULIETTE - Nos jurés ont-ils le droit de s'abstenir ? Comment se nomment-ils ?

LOUISE - Bien sûr que non ! Tous les jurés se sont engagés à voter valablement. Ils sont un nombre impair pour éviter tout problème d'égalité de voix. Quant à leur nom, nous avons préféré l'anonymat. Vous pouvez les nommer Un, Deux, Trois, et cetera. Ils ont bien voulu accepter bénévolement de donner pour vous de leur temps disponible.

BERTRAND - Surnoms parfaitement trouvés pour la convivialité de ce thé dansant. Où sont les petits gâteaux ? Mais non, suis-je bête ! Ces braves gens sont bénévoles ! Ni salaire, ni gâteaux ! Quelle époque mesquine ! Les bourreaux, au Moyen Âge, étaient payés, au moins…

JULIETTE - Louise, vous n'allez pas déjà partir ? Et si nous nous sentons mal, si nous avons besoin de vous ?

LOUISE - Vous n'êtes pas seuls. On ira chercher du secours, les infirmières ne sont pas loin. Vous avez trois quarts d'heure pour faire connaissance. Nous leur laisserons ensuite trois quarts d'heure pour délibérer dans la pièce voisine.

BERTRAND *(aux jurés)* - Maintenant que le dragon est sorti, vous pouvez au moins vous présenter par un prénom.

JULIETTE - Remarquez que Bertrand est un agressif; je ne vous demande rien.

BERTRAND *(à Juliette)* - C'est vrai, j'avais oublié : nous sommes ennemis, maintenant ! Ma peau contre la vôtre !

TROIS - Si cela ne vous gêne pas trop, nous garderons l'anonymat, comme convenu.

16

UNE - Excusez-moi… Cette situation est très gênante pour nous tous, mais je dois vous rappeler que nous sommes minutés. Il serait temps que vous vous exprimiez pour que nous puissions… juger.

DEUX - Vous avez raison : la situation est gênante. Pesante, même. Je ne sais pas pourquoi j'ai accepté…

UNE - Il est encore temps que vous refusiez. Vous bloquerez le système : il leur faut un nombre de jurés impair.

DEUX - Je me suis engagé…

BERTRAND - Peut-être à la légère ? Vous pourriez le regretter longtemps… La culpabilité est un sentiment lourd à porter. Voyons… Qu'est-ce qui vous a poussé à prendre ce rôle ?

DEUX - Simplement le fait qu'il s'agissait d'un rôle. Je suis comédien – raté, sans doute. Voilà bien longtemps qu'on ne m'a rien proposé.

UNE - Méfiez-vous, Deux, Bertrand est habile. Il cherche à inverser les rôles. Vous n'avez pas à vous justifier, ni à raconter votre vie.

DEUX - Considérons donc que Bertrand est habile…

JULIETTE - Comment ? Il cherche à vous déstabiliser, il agresse, et vous lui trouvez des qualités ?

BERTRAND *(à Juliette)* - Vous n'avez sans doute pas assez souvent joué au jeu de la victime et du bourreau.

JULIETTE - Nous perdons du temps. Et le temps nous est compté. Je veux avoir droit à la parole.

BERTRAND - Vous l'avez.

JULIETTE - Vous allez toujours m'interrompre. Monsieur est un beau parleur, même quand il n'a pas grand-chose à dire.

BERTRAND - Voulez-vous que nous minutions notre temps de parole à l'un comme à l'autre ?

JULIETTE - N'est-ce pas un peu… sordide ? Nous ne sommes pas dans une campagne électorale télévisée !

BERTRAND - Nous n'en sommes pas loin. Les spectateurs et les caméras sont bien cachés, et la mort est au fond de l'urne. Allons-y ! En quinze minutes, sur quel programme de vie allez-vous rallier le plus d'électeurs ? Ne négligez pas les centristes, leurs voix sont déterminantes…

JULIETTE - Vous voyez bien que tout moyen vous est bon pour reprendre la parole.

BERTRAND - Je vous promets d'apprendre à me taire… Juliette, voulez-vous parler la première ? Vous paraissiez avoir des choses à nous dire.

JULIETTE - Si cela ne vous dérange pas, Bertrand.

BERTRAND - Allez-y. Je prépare ma plaidoirie tout en vous écoutant !

JULIETTE - Alors, voilà : je suis jeune, comme vous pouvez le voir. J'ai vingt-huit ans. Mais je sais que ce n'est pas un argument suffisant pour vous convaincre. Ce que je veux surtout vous dire, c'est que j'ai un projet de vie : je veux me marier, avoir des enfants. Je suis des stages de formation dans la société où je travaille, je peux espérer avoir dans dix ans un poste à responsabilités. Tout allait si bien pour moi lorsque cette foutue maladie… Voilà… C'est plus difficile que je ne pensais de dire sa vie. Vous prenez des notes ? Tout ce que je dis a pourtant si peu d'intérêt… Madame, vous pourriez presque être ma mère, à quelques années près... Vous avez peut-être une fille. Imaginez, madame, qu'il s'agisse de votre fille...

BERTRAND - Nous y voilà donc déjà! Faire poindre une larme dans l'œil du spectateur compatissant... Monsieur le comédien, vous pouvez vous réjouir... Le mélo? Mais nous y sommes jusqu'au cou! Vous n'y échapperez pas. Laissez donc Juliette mener à bien son numéro d'actrice... Dans trois minutes elle sera à genoux, dans cinq minutes nous serons tous en pleurs...

JULIETTE - Ne cherchez pas à me ridiculiser. Cela se retournera contre vous.

BERTRAND - Merci du conseil!

JULIETTE - Nos jurés ne sont pas bêtes. Ils ont eu votre fiche, ils savent que vous êtes professeur de faculté, votre vernis intellectuel ne les étonne pas. C'est ce qu'il y a en dessous qui les intéresse.

BERTRAND - Je n'ai pas l'intention de leur montrer autre chose que mon vernis. Nous n'avons pas gardé les moutons ensemble.

UNE - Devons-nous conclure que vous ne voulez pas nous parler de vous? Que vous nous méprisez? Ne croyez pas que nous considérons ce moment comme une partie de plaisir. Mais le docteur nous a expliqué qu'il n'y avait pas d'autre moyen.

BERTRAND - Je méprise ce jeu. Je le trouve sordide et indigne des être humains que nous sommes. Peut-être vaudrait-il mieux que vous considériez cela comme une partie de plaisir. Au moins, les choses seraient claires : le sadisme fait partie intégrante de l'homme.

JULIETTE *(à Deux)* - Monsieur, vous avez dit que vous étiez comédien. Je peux vous aider à réussir. Dans ce milieu, tout est affaire de communication. J'ai fait mes études dans ce domaine. Je défendrai votre talent, je ferai en sorte que l'on parle de vous…

DEUX - Vous connaissez des gens dans le milieu du théâtre ?

TROIS *(à Deux)* - Vous n'êtes pas là pour vous placer. C'est de Juliette et de Bertrand dont nous devons nous occuper.

DEUX - La vie de Juliette prend de la valeur si elle enrichit la mienne.

UNE - C'est exact. Mais vous perdez alors toute objectivité pour la juger.

DEUX - On ne m'a pas demandé d'être objectif. Qui d'ailleurs est capable d'être objectif ?

TROIS - Nous pouvons au moins essayer de l'être.

DEUX - Juliette, vous êtes gentille. Vous êtes prête à donner aux autres, c'est une qualité.

TROIS - Nous nous perdons dans des discussions stériles. Nous n'avançons guère et le temps passe.

UNE *(à Bertrand)* - Vous devez accepter de nous parler de vous. Qu'attendez-vous de votre vie ?

BERTRAND - De pouvoir chier le matin, après le petit déjeuner, en lisant mon journal. De péter dans les embouteillages en toute impunité, sachant que le bruit des moteurs couvrira mes débordements. De baiser une fois par semaine au moins, si possible en position couchée et de préférence dans des draps de coton, la soie me faisant transpirer…

TROIS *(souriant)* - Au moins, vous ne vous laissez pas abattre.

UNE - Je note : Bertrand a de la vie une conception très physique.

DEUX - Bertrand est surtout vulgaire. Il se fout de nous avec un plaisir évident.

BERTRAND *(à Trois)* - Qu'espérez-vous que je vous dise ? Que j'ai une recherche en cours sur la monnaie au Moyen Âge ? Que je venais – avant mon entrée à l'hôpital – de m'inscrire dans un cours de tennis parce que je ne pouvais plus supporter dans la glace la vision de mon corps amolli et décati, alors que je me suis moqué toute ma vie des gens qui perdaient du temps et de l'énergie à courir après une balle ?

UNE - C'est peut-être en effet ce genre d'aveux que nous attendons. Votre fragilité nous touche plus que vos brillantes pirouettes.

BERTRAND - La pitié reste un grand ressort de la tragédie. Ça marche toujours très bien auprès du français moyen. Mais je ne veux pas vous toucher. Vous avez d'autres questions ?

JULIETTE *(à Trois)* - Monsieur, avez-vous mesuré le temps de parole usé par mon…

BERTRAND - … adversaire ?

JULIETTE *(à Bertrand)* - Taisez-vous ! C'est à moi de parler maintenant.

BERTRAND - Parlez, Juliette.

JULIETTE - Je ne sais pas, moi… Posez-moi des questions !

BERTRAND *(après un silence)* - Comment réagissez-vous à l'idée de mourir ?

JULIETTE - Comment je réagis ? Mais je panique complètement ! J'ai envie de crier. Je ne veux pas, ce n'est pas juste, j'ai peur, c'est tout, je crève de peur à l'idée de souffrir, de me sentir mourir, de quitter tous ceux qui m'aiment, de ne pas savoir ce qui m'attend… Vous ne pouvez pas comprendre. Nous mourrons tous mais, moi, je sais parce que c'est là, juste devant moi ; pour vous c'est loin, c'est imprécis, cette incertitude vous donne un peu d'éternité, voyez-vous. Moi, je suis comme une condamnée à mort qui attend l'exécution… Essayez de comprendre, d'imaginer…

BERTRAND - Il est dommage que vous n'ayez pas été filmée, Juliette : vous étiez particulièrement touchante dans votre sincérité naïve et désespérée. Votre petit monologue aurait bien fait pleurer au cœur des chaumières dans une de ces émissions voyeuristes dont les téléspectateurs raffolent.

JULIETTE - J'avais fini, je crois. Ai-je répondu à votre question, Bertrand ?

BERTRAND - Excusez-moi, Juliette. Ma question était indécente.

JULIETTE - J'avais encore autre chose à vous dire, mais j'ai peut-être suffisamment parlé. Je ne veux pas désavantager Bertrand. Où en est mon temps de parole ?

BERTRAND - Pas besoin d'arbitrage. Laissons cette petite s'exprimer.

JULIETTE - Je vous remercie. Je voulais dire… Cela n'est pas facile, vous nous demandez de parler de nous, mais ma vie consiste aussi à m'occuper des autres : je me consacre quelques heures par semaine à la collecte de vieux vêtements pour le Secours Catholique. Je ne suis pas particulièrement croyante. J'aime seulement aider les autres. Le Secours

22

Catholique n'est qu'un support. Je ne veux pas voir souffrir les gens.

BERTRAND - Comme disait notre ami tout à l'heure, vous êtes une gentille fille…

JULIETTE - Je crois en effet que je ne suis pas méchante. J'aime mes semblables. C'est pourquoi la situation actuelle me pèse : je n'ai pas envie de vous faire du mal, Bertrand.

BERTRAND - Vous vous y prenez pourtant parfaitement bien. Vous êtes douée pour le strip-tease de l'âme. Le tableau que vous faites de vous-même est attendrissant. Si j'avais le pouvoir de voter, ce serait pour vous, contre moi, sans conteste. Au fond d'eux-mêmes, nos jurés ont choisi : ils ne pourront plus ne pas voter Juliette.

DEUX - Il est intolérable qu'on nous demande de choisir.

TROIS - Taisez-vous ! Ça ne sert à rien de vous plaindre maintenant. Nous avons accepté cette expérience. Allons au bout de notre démarche.

UNE - Bertrand exerce sur nous des pressions malhonnêtes.

BERTRAND - Serait-il honnête de vous faire croire que personne n'est coupable de rien ? L'armée prend plus de précautions avec ses bourreaux. Quand les soldats tirent en chœur pour fusiller un homme, ils sont assez nombreux pour que chacun se lave les mains du meurtre.

DEUX - Cessez donc de nous comparer à des bourreaux.

TROIS - Notre temps est écoulé. Bertrand ne nous a pas dit grand-chose de sa vie.

UNE - Bertrand, vous devez vous exprimer pour nous permettre de juger.

BERTRAND - C'est votre problème. Il ne fallait pas vous engager dans cette sale affaire. Ne comptez pas sur moi pour vous aider.

JULIETTE - Je vous en prie, Bertrand, défendez-vous. Si vous ne le faites ni pour vous ni pour eux, faites-le pour moi.

BERTRAND - Je suis désolé de vous refuser ce plaisir. J'ai le droit de préférer le silence. D'ailleurs, je ne suis pas resté silencieux. Vous avez même été contraints de me faire taire.

UNE - Vous avez peu parlé de vous.

TROIS - Le docteur nous a laissé trois quarts d'heure. Nous les avons presque atteints de dix minutes.

BERTRAND - Vous, le chronomètre, taisez-vous.

UNE - Bertrand, nous comprenons que vos nerfs lâchent mais votre agressivité ne nous aide pas à trouver une solution.

BERTRAND - Il n'y a pas de solution. Et je vous ai déjà dit que je ne désire pas vous aider. Allez faire votre sale boulot dans la pièce à côté et laissez-moi crever en paix.

JULIETTE - Posez-nous des questions. Faites-le parler, faites-nous parler… C'est si difficile de dire qui on est… Il reste encore quelques minutes…

DEUX - Je ne me sens pas prêt à prendre une décision.

UNE - Nous pourrions peut-être délibérer devant eux, ça les amènerait à intervenir. Bertrand ne veut pas se livrer, mais il n'hésite pas à participer à un débat…

TROIS - Nous n'allons pas délibérer devant eux. Cela serait contraire à toutes les règles.

UNE - Pourquoi, s'ils promettent de se taire ?

Trois - Ne dites pas de bêtises.

Deux - Juliette, Bertrand, il est temps que nous vous quittions. Sachez que nous ferons de notre mieux avec ce que vous nous avez dit, ce que nous savons par ailleurs de vos vies. Je regrette personnellement de m'être engagé dans cette aventure. Je comprends vos angoisses et votre révolte. Vos deux vies sont dignes d'être sauvées. Il me faudra néanmoins choisir.

Juliette - J'ai peur. *(Ils sortent.)* Ne partez pas ! Je ne veux pas rester seule avec lui !

Bertrand *(criant, très gai)* **-** Vous partez déjà ? Nous avons à peine terminé les entrées. Restez donc encore un peu : Juliette nous a mijoté un poulet aux girolles dont vous me direz des nouvelles.

FIN DE L'ACTE II

ACTE III

BERTRAND - Vous avez peur… de moi ?

JULIETTE - Je ne sais pas… C'est à cause de cette situation absurde…

BERTRAND - Il est certain que, si je vous étranglais discrètement, je réglerais notre problème de rivalité.

JULIETTE - Pourquoi avez-vous refusé de vous défendre ?

BERTRAND - Je ne voulais pas voir ma vie mise aux enchères.

JULIETTE - Vous êtes intelligent. Votre façon de ne pas répondre à leurs questions était certainement une tactique.

BERTRAND - L'instinct de conservation de mon inconscient !

JULIETTE - Je suis sûre qu'ils voteront pour vous.

BERTRAND - J'aurai pourtant tout fait pour me rendre antipathique à leurs yeux.

JULIETTE - Leur verdict vous est donc indifférent ?

BERTRAND - Je ne dis pas cela. Je n'ai pas envie de mourir. J'ai simplement refusé de rentrer dans cette manipulation sordide.

JULIETTE - Et vous me méprisez d'y être entrée ?

BERTRAND - Non, car je pense que cela vous a coûté. Par ailleurs, votre habileté m'a étonné. Vous avez su vous rendre attachante. J'en aurais été incapable.

JULIETTE - J'ai fait ce que je pouvais. Je tiens à ma vie, mais je ne pense pas qu'elle ait grand intérêt.

BERTRAND - Pensez-vous que la mienne en ait plus ? Il est ridicule de comparer deux vies humaines.

JULIETTE - Vous avez fait des recherches, vous écrivez… Vous laisserez des traces de vous qui échapperont au temps.

BERTRAND - Je n'ai pas d'enfants. Vous êtes jeune. Vous pouvez nous faire une tripotée de gamins qui contribueront à repeupler la France !

JULIETTE - En aurais-je le temps ? En aurais-je la force ? Celui de nous deux qui aura la chance d'obtenir ce traitement s'en sortira sans doute, mais dans quel état ?

BERTRAND - À nous deux, nous formons un couple étrange : un condamné et un cobaye. Quel sort préférez-vous ?

JULIETTE - Je panique devant l'idée d'une mort immédiate ou presque. J'ai peur aussi de vivre et de souffrir.

BERTRAND - Je n'ai aucune envie de mourir, mais je n'en ai pas crainte non plus. C'est peut-être en effet parce que j'écris, j'ai l'impression d'avoir dit ce que j'avais à dire. Mon message.

JULIETTE - Ai-je un message à transmettre ?

BERTRAND - Vous êtes vous-même le message.

JULIETTE - Ce que vous dites n'a aucun sens. C'est gentil, mais cela n'a aucun sens.

BERTRAND - Vous êtes jeune, vous êtes belle, vous êtes généreuse : c'est cette image de vous qui mérite d'être transmise.

JULIETTE - Elle ne le sera pas. Je vais mourir. Je serai vite oubliée. Ou bien je vieillirai, je deviendrai laide, ridée, n'ayant plus qu'un vague souvenir de ce que j'ai pu être.

BERTRAND - Quel optimisme ! Où est la jeune femme qui défendait tout à l'heure sa vie avec tant de vigueur ?

JULIETTE - Je me battais, et ce combat me semblait évident. Il me paraît maintenant dérisoire.

BERTRAND - On se bat pour gagner ; or, vous avez de grandes chances de vaincre le piètre adversaire que je représente.

JULIETTE - La victoire sera bien amère.

BERTRAND - Je ne vous comprends plus.

JULIETTE - Bertrand, est-ce à cause de moi que vous avez refusé de vous battre ?

BERTRAND - Non, j'avais d'autres raisons, je vous les ai expliquées.

JULIETTE - Vous en êtes bien certain ?

BERTRAND - Est-ce que cela vous déçoit ? Auriez-vous aimé que je me sacrifie pour vous ?

JULIETTE - Je ne sais pas… Peut-être… Cela aurait donné un sens à ma vie.

BERTRAND - Je suis désolé, Juliette. Je vous trouve charmante, séduisante, mais je ne vous aime pas. Je n'en ai pas eu le temps. À mon âge, on n'a plus de coup de foudre.

JULIETTE - Vous voyez bien : je ne suis pas intéressante.

BERTRAND - Je n'ai pas dit cela. Vous êtes intéressante, mais laissez-moi du temps.

JULIETTE - Nous n'avons plus de temps.

BERTRAND - L'un de nous deux aura du temps.

JULIETTE - Celui qui aura ce sursis de quelques années ne devrait-il pas l'employer à garder vivant le souvenir de l'autre et de cette aventure, à la fois extraordinaire et lugubre, qui nous réunit ?

BERTRAND - Décrire ce premier tribunal populaire élaboré par des médecins pour choisir entre deux vies parce que la société n'a pas les moyens de sauver les deux…

JULIETTE - Cela ne peut rester dans le silence. L'un de nous doit transmettre ce message aux autres hommes.

BERTRAND - Pourquoi pas l'un de nos jurés ?

JULIETTE - Ils sont trop gênés du rôle qu'ils ont joué. Je suis sûre qu'ils n'en mènent pas large dans leur délibération à huis clos. Ils n'auront pas envie de se souvenir de cette journée.

BERTRAND - Alors que celui de nous qui sera élu pour vivre promette à l'autre d'en écrire le témoignage !

JULIETTE - Non, pas l'un d'entre nous ! Vous !

BERTRAND - Pourquoi moi ? Vous savez bien qu'ils vont vous choisir.

JULIETTE - Peu m'importe leur choix. Vous seul savez écrire !

BERTRAND - Il y a d'autres moyens pour apporter un témoignage. Vous savez communiquer. Vous ferez une conférence de presse.

JULIETTE - Qui m'écoutera ? Une petite Française moyenne anonyme n'a pas les journalistes à ses trousses.

BERTRAND - Il suffit de faire scandale : vous ne serez plus anonyme.

JULIETTE - Admettons que les journaux se régalent de l'affaire une semaine durant... C'est bien peu. Une œuvre littéraire reste.

BERTRAND - Souvent dans un tiroir.

JULIETTE - Elle peut en sortir, même un siècle plus tard. Alors les choses seront dites, et puis...

BERTRAND - Et puis ?

JULIETTE - Et puis ressortirait aussi du tiroir une jeune femme jolie, généreuse, qui s'appellera ou non Juliette, mais qui me ressemblera sans doute un peu...

BERTRAND - Vous vous sacrifieriez pour ça ? Pour devenir un personnage ?

JULIETTE - Sans hésiter. J'y gagnerai l'éternité dans un tiroir !

BERTRAND - Vous ne pouvez pas faire cela. Songez à vos propres arguments pour défendre votre vie. Il y a des gens qui vous attendent.

JULIETTE - Oui. C'est de ma part une position très égoïste.

BERTRAND - C'est un caprice. Un simple caprice. Vous êtes en totale contradiction avec vous-même.

JULIETTE - Certainement.

BERTRAND - Vous rendez-vous compte que vous êtes en train de m'offrir votre vie ?

Juliette - En échange d'une sorte d'éternité. J'y gagne. Je ne fais pas cela pour vous, Bertrand, soyons clairs ; moi non plus je ne vous aime pas.

Bertrand - Étrange relation que la nôtre.

Juliette - La situation que nous vivons n'est pas ordinaire.

Bertrand - Pourquoi nous ont-ils laissés seuls ? Il ne me paraît pas logique qu'ils nous aient laissés face à face, sans intermédiaire. Tout a l'air tellement étudié, calculé, dans leur histoire…

Juliette - Peut-être attendent-ils que nous nous déchirions ?

Bertrand - Alors pourquoi ce simulacre de tribunal ?

Juliette - Pour faire monter notre agressivité, sans doute. Ne disiez-vous pas que vous régleriez le problème en m'étranglant ?

Bertrand - Je ne vous ai pas étranglée, Juliette, mais si j'accepte votre proposition je vais vous tuer.

Juliette - C'est de moi que vient la décision, pas de vous. Vous ne me tuez pas. J'entreprends de mourir. Pour mieux continuer à vivre.

Bertrand - C'est illusoire. Si vous mourez, vous ne revivrez pas. Vous serez un petit cadavre fluet qui pourrira sous terre dans une boîte de bois.

Juliette - Taisez-vous.

Bertrand - Vous voyez que votre décision ne tient pas ! Vous vous êtes laissé émouvoir, vous vous sentez coupable, vous voulez me protéger.

JULIETTE - Croyez-vous donc que tout tourne autour de vous ? Je sais ce que je veux, je persiste dans ma demande. Ça ne veut pas dire que je n'ai pas peur de mourir.

BERTRAND - C'est de la monnaie de singe que j'ai à vous à proposer. Ce n'est pas parce que j'écris que j'ai du talent.

JULIETTE - Je vais un peu à l'aveuglette. Je n'ai pas le choix, je suis obligée de vous faire confiance.

BERTRAND - Ne me faites pas confiance. Je n'ai jamais écrit sur commande. D'ailleurs, je ne vous connais pas assez pour faire de vous un personnage.

JULIETTE - Vous n'avez rien d'autre à faire que de retracer ce que nous avons vécu aujourd'hui. Vous n'avez pas besoin d'en savoir plus sur moi. Qui je suis réellement importe peu. Et ce que j'ai vécu avant de vous connaître n'a aucun intérêt pour vous.

BERTRAND - Imaginez que vous fassiez le sacrifice de votre vie et que je n'arrive pas à l'écrire, ce livre…

JULIETTE - Je prends le risque.

BERTRAND - Vous êtes une sacrée petite bonne femme.

JULIETTE - Merci. *(Elle se lève et va vers lui.)*

BERTRAND - Que faites-vous ?

JULIETTE - Est-ce que je peux vous embrasser avant de partir ?

BERTRAND - Où voulez-vous partir ?

JULIETTE - Dans ma chambre.

BERTRAND - Pour quoi faire ?

JULIETTE - Ne posez pas de questions. Laissez-moi, maintenant. Puis-je vous embrasser?

Bertrand se lève. Ils s'embrassent.

BERTRAND - Ne partez pas. Je crois que je commence à vous aimer.

JULIETTE *(lui mettant la main sur la bouche)* - Taisez-vous. Nous avons bien dit qu'entre nous, il n'y avait aucune histoire d'amour.

BERTRAND - Juliette…

JULIETTE - Chut! Ne me donnez pas de regrets.

BERTRAND - Je ne veux pas. Je ne veux plus. J'ai peur de vous voir partir. J'ai peur de cette maladie. J'ai peur qu'elle vous fasse souffrir.

JULIETTE - J'aurai donc du courage pour deux. Et puis, ne vous inquiétez pas, je n'ai pas l'intention de laisser cette maladie m'imposer une mort lente et douloureuse. Laissez-moi partir, maintenant.

BERTRAND - Ils vont revenir. Que leur dirai-je? Juliette, ne me laissez pas.

JULIETTE - Vous leur direz ce que vous voudrez. La vérité, ou un beau mensonge, ou rien du tout. Le silence, c'est bien, parfois.

BERTRAND - Restez. Respectons leur verdict. Je ne veux pas me sentir coupable de votre mort. Je vous aime, Juliette.

JULIETTE - Trop tard, Bertrand. Les dés sont jetés. Je ne reculerai plus, maintenant. *(Elle sort.)*

BERTRAND - Juliette!

Il reste seul sur la scène. Il marche de long en large, très nerveux, crispé. Moment assez long. Tout chez lui doit marquer, en silence, une sorte de panique intérieure.
Progressivement, il se calme, s'assoit, prend un bloc de papier et dit à haute voix ce qu'il écrit.

BERTRAND - « Personnages : Louise, médecin. Bertrand, malade, la cinquantaine. Juliette, malade, vingt-huit ans, jolie. Une, juré populaire. Deux, juré populaire. Trois, juré populaire. »

LOUISE *(apparaissant)* - Je viens vous rendre le verdict des jurés. Leurs délibérations sont finies*. (Silence. Bertrand ne lève pas les yeux de son bloc.)* Où est Juliette ?

BERTRAND *(ignorant Louise)* - « Décor : un parloir d'hôpital aménagé de manière conviviale, mais stéréotypée. »

LOUISE - Bertrand, où est Juliette ? Que se passe-t-il ?

BERTRAND - « Drame en trois actes intitulé "Le prix de la viande"… »

RIDEAU

LE LANCER DE NAINS

PERSONNAGES

MARIE, avocate, ancienne foraine

SUZANNA, foraine, sœur de Marie

PEDRO, forain, frère de Marie et de Suzanna

JOSÉ, forain, mari de Suzanna

ARNAUD, mari de Marie

Dans le chapiteau d'un cirque. Deux trapèzes pendent à des hauteurs différentes et une échelle de corde. Suzanna s'entraîne sur l'un des trapèzes. Marie entre. Elle regarde Suzanna, puis se promène sur la piste.

MARIE - Tu sais pourquoi ils m'ont demandé de venir ? *(Suzanna ne répond pas et continue à s'exercer.)* Tu sais. Tu ne veux rien dire mais tu sais. Il n'est pas possible que tu ne saches pas ; nous nous disions toujours tout. *(Même jeu de Suzanna.)* Tu m'en veux encore ? *(Idem.)* Cela fait drôle de revenir ici. Un sentiment étrange, comme si… *(Elle regarde le trapèze vide.)* Comme si dans ce lieu le temps n'avait pas bougé alors que partout ailleurs… Tu as quel âge, Suzanna ? *(Suzanna s'arrête, s'assoit sur le trapèze et regarde Marie.)* Trois ans de plus que moi ? Quatre ? Et l'on te fait déjà sentir que tu te fais vieille pour une trapéziste. C'est cela que je ne voulais pas vivre, tu comprends ? N'être qu'un corps qui se tord, se tend, se suspend, se contorsionne… Être digne de mes paillettes, bien droite, le sourire aux lèvres, toujours, être une image, être un corps… Je ne sais pas comment tu fais. *(Elle la regarde. Même jeu de Suzanna.)* Ça me manque, pourtant… Tout ça… Le contact du sable de la piste, l'odeur des fauves, les battements du tambour, les cris du public, et surtout ce léger frémissement qui s'empare de vous quand on lâche prise pour s'envoler vers l'autre trapèze… Un oiseau… Tu me disais que j'étais un oiseau… Mais Marie a préféré quitter le cirque, Marie a trahi les siens…

SUZANNA - Qu'est devenue Marie-Ange ?

MARIE - Marie-Ange est toujours là. Marie-Ange la foraine, fille de forains, rêve au fond de moi de nomadisme et de chapiteaux qu'on monte et qu'on démonte. Ça la réveille parfois au milieu de la nuit et elle a du mal alors à retrouver le sommeil…

Elle tend la main à Suzanna qui ne la saisit pas et reprend ses exercices.

SUZANNA - Ils ne vont pas tarder. Assieds-toi sur le bord de la piste.

MARIE - Où sont-ils ? On dirait que le cirque est abandonné…

SUZANNA *(continuant ses exercices)* - Ils travaillent à côté. Tu entends le train fantôme qui envoie toutes les vingt secondes son rire métallique ? C'est là, à la foire, qu'ils passent leurs soirées, excepté le samedi, où on ouvre le chapiteau. Le cirque ne nourrissait plus la famille. Trop de frais, pas assez d'entrées. Les gens, ici, préfèrent le cinéma.

MARIE - Et les autres ?

SUZANNA - Youri est parti ; il a rejoint un cirque qui fait des tournées dans le Sud… Enfin, c'est ce qu'il dit. Mais il a du mal – on lui envoie de l'argent de temps à autre.

MARIE - Sergio ?

SUZANNA - Il travaille dans un garage la semaine. Il revient pour les spectacles. Ce n'est plus le même, il n'a pas supporté ton départ.

MARIE - Où sont les animaux ?

SUZANNA - Il reste les chiens, les singes et le lama. Les fauves finissent leur vie dans un zoo.

MARIE - Vous avez vendu Shiva?

SUZANNA - Tu t'en es inquiétée de Shiva depuis que tu es partie? Ça ne t'a pas empêchée de manger des petits fours dans les cocktails mondains et de fréquenter le haut du panier! Tu ne t'es pas demandé si on pouvait lui donner ses quinze kilos de viande par jour, à ton tigre chéri. Quand on l'a donné au zoo, on lui voyait les côtes et il fallait le pousser pour qu'il sorte de sa cage.

MARIE - Si vous me l'aviez dit j'aurais pu…

SUZANNA - Tu aurais pu quoi? Lui ouvrir un compte épargne où tu aurais royalement déposé quelques francs chaque mois? On n'en voulait pas de ton argent.

MARIE - Qu'est-ce que tu crois? Que je suis devenue richissime en passant mon diplôme? Tu te plantes, ma belle. Moi aussi j'ai galéré. L'avocate débutante est la smicarde du barreau.

SUZANNA - Je te plains. Passe-moi donc l'échelle de corde.

MARIE - J'ai vécu des années difficiles. C'est un peu mieux maintenant.

SUZANNA - Surtout depuis ton mariage.

MARIE - Laisse Arnaud en dehors de tout ça. Alors, tu descends ou c'est moi qui monte?

PEDRO *(arrivant)* - Pas sans échauffement. Comment te portes-tu, Marie-Ange?

MARIE - Mieux que vous, apparemment. Tu avais besoin de moi?

PEDRO - Nous verrons cela quand José arrivera. Il finit de compter la caisse.

MARIE - Tu es bien mystérieux. Cinq ans de silence et puis cet appel m'invitant à venir de toute urgence au chapiteau…

PEDRO - Il valait mieux couper les ponts. Tu avais ta vie, nous la nôtre, nous n'avions plus rien en commun. J'ai pensé que…

MARIE - Tu as pensé tout seul. Et tu as demandé à Suzanna et à José de penser comme toi.

PEDRO - J'ai peut-être mal agi, mais quand tu as décidé de quitter le cirque…

MARIE - Quand j'ai décidé de quitter le cirque ? Pourquoi m'avez-vous poussée à faire des études ? Pour devenir une bonne trapéziste ? « Elle a un corps d'athlète et en plus elle ramène des bonnes notes. Bientôt elle pourra tenir la caisse du cirque ! » La caisse du cirque ! J'étais la fierté de la famille ! Jusqu'au jour où j'ai voulu entrer à la faculté. « Chez les Sanchez, on est forain de mère en fille. Tu seras trapéziste et tu épouseras le funambule ! »

JOSÉ *(arrivant)* - On est un peu bornés dans la famille. Je sais mettre un nez rouge et faire rire les enfants, je sais cracher le feu et faire passer les tigres dans les cerceaux enflammés mais je ne sais pas réfléchir.

PEDRO - Ça paraissait tellement évident que ta place était avec nous, au cirque…

MARIE - Ça n'est plus évident aujourd'hui ?

PEDRO - Les choses ont changé, chacun est libre…

JOSÉ - Pour ce qu'il en reste du cirque…

SUZANNA - Ne dis pas cela. Tu vas nous porter malheur !

MARIE - Je ne suis plus là, ça fait toujours une bouche de moins à nourrir. Imaginez : si j'étais restée avec Sergio nous aurions eu le temps de faire au moins trois petits qui feraient le tour de la piste sur leur monocycle en vous réclamant à manger !

JOSÉ *(se mettant à jongler)* - Trois petits, trois petits… plus les quatre que m'a fait Suzanna, ça ferait sept petits : un jongleur, un clown, un dresseur, une danseuse…

SUZANNA - Tais-toi donc ! Ils seront chômeurs, nos gamins, comme les choses vont. Ils seront chômeurs. Tu ferais mieux de les envoyer à l'école, comme Marie-Ange.

JOSÉ - Ils ont bien le temps.

MARIE - Et la foire ? Vous devez bien gagner, à la foire ?

PEDRO - Justement.

JOSÉ - Justement.

PEDRO - Nous avons besoin de toi, Marie-Ange.

MARIE - Je m'appelle Marie.

SUZANNA - Elle fait de nouveau sa fière. Vous voyez bien que nous n'aurions jamais dû faire appel à elle.

PEDRO - Nous avons de gros ennuis, Marie. Tout le monde est contre nous.

MARIE - Tout le monde ?

JOSÉ - Le maire, la police, la justice… Ça fait du monde, tout ça, non ?

SUZANNA - En plus nous ne comprenons rien à leurs histoires.

PEDRO - Ils nous en veulent. Tous, ils nous en veulent.

MARIE - S'ils vous en veulent, il y a bien une raison.

PEDRO - Pas grand-chose.

JOSÉ - Nous ne faisons rien de mal.

PEDRO - Nous lançons des nains.

MARIE - Quoi ?!

SUZANNA - Ne fais pas l'étonnée. Le lancer de nains, tu ne vas pas me dire que tu ne connais pas, ça existe depuis des siècles. Notre grand-père lançait des nains avec son frère de lait à la foire de Perpignan. Tu étais la première à rire des bêtises qu'ils nous racontaient.

MARIE - C'était un autre temps, une autre époque…

SUZANNA - C'était hier, en France, dans la région de ton enfance.

MARIE - Nous sommes en 1994.

PEDRO - Nous tournons ce numéro depuis trois ans, nous n'avons jamais eu de problèmes.

JOSÉ - Il paraît qu'il y a un bled près de Paris où ils ont interdit ça, il y a quelques semaines. Ça a fait du bruit, un procès, des articles dans les journaux du coin, tout un branle-bas de combat pour pas grand-chose.

PEDRO - Maintenant, ils veulent l'interdire partout. Y'a plus qu'à fermer les foires.

MARIE - C'est l'arrêt de…

JOSÉ - Déjà les cirques qui ferment, maintenant les foires… Tout ce qu'ils veulent, les gens, c'est des manèges qui font peur. Et le rire ? Qu'est-ce qu'on en fait du rire ?

MARIE - Il y a quelques mois, le tribunal administratif de Morsang-sur-Orge…

PEDRO - En plus, ils ne mesurent pas les risques, parce que le lancer de nains, aucun danger, mais le grand huit, tous les ans y'a des accidents ! Qu'est-ce que t'en penses, Marie ?

MARIE - Si vous me laissiez en placer une ? Le tribunal administratif de Morsang-sur-Orge a interdit le lancer de nains. C'est un arrêt, s'il est confirmé par le Conseil d'État, qui fera sans nul doute jurisprudence.

JOSÉ - Juris… quoi ?

PEDRO - Laisse-la parler, José, tu vois bien qu'elle sait.

MARIE - Jurisprudence, ça veut dire que cet arrêt va faire autorité auprès des autres tribunaux.

JOSÉ - Montre-moi la loi qui interdit le lancer de nains.

MARIE - Il n'y a pas de loi. Le droit administratif est un droit prétorien.

SUZANNA - Vous voyez bien qu'elle essaie de vous en imposer avec ses grands mots. C'est comme le juge, quand il vous a convoqués. Qu'est-ce que des gens simples comme nous vont comprendre à leurs grandes phrases ? Ils nous méprisent. C'est une justice pour les riches, ça, pour les intellos ; les petites gens comme nous, ils n'ont qu'à se taire et se prendre les décisions dans la gueule…

PEDRO - L'agresse pas, elle est là pour nous aider.

MARIE - Qu'attendez-vous de moi ?

PEDRO - Que tu nous défendes.

JOSÉ - Que tu leur expliques.

MARIE - Je ne peux pas être votre avocate, nous sommes de la même famille.

JOSÉ - Mais nous étions fâchés !

MARIE *(riant)* - Ça ne change rien.

PEDRO - Trouve quelqu'un qui nous défende, alors. Quelqu'un de bien qui aura à cœur nos intérêts.

MARIE - Je peux vous trouver un avocat, bien sûr.

JOSÉ - Qui nous défendra comme tu nous aurais défendus, toi ? Tu lui diras les arguments à ton collègue ? Je crois que toi, tu aurais pu faire comprendre à un juge…

MARIE - Je peux vous trouver quelqu'un et travailler l'affaire avec lui, mais ça paraît perdu d'avance.

SUZANNA - Alors retourne chez toi. Va-t-en retrouver ton fric et ton mari et laisse-nous crever comme des bouseux que nous sommes.

MARIE - Pourquoi m'en veux-tu tellement, Suzanna ? Parce que j'ai eu le courage de partir et que toi, qui avais autant que moi besoin de changer d'air, tu es restée, par respect des traditions familiales ? Parce que tu as épousé un homme que tu n'as pas choisi, qui t'a fait quatre gamins qui t'embarrassent et que tu étouffes chaque jour davantage ?

SUZANNA - Tais-toi !

PEDRO - Calmez-vous. On dirait deux tigresses qui s'affrontent jusqu'à ce que l'une des deux cède. Vous avez toujours été des dominantes. Et nous, gros balourds de mâles, nous vous avons regardées vous déchirer. De temps en temps, on a bien essayé de mettre de l'huile dans les rouages…

46

MARIE - Suzanna, José, je ne voulais pas vous faire du mal. Si je peux vous aider…

JOSÉ - Pourquoi nous font-ils un tel pataquès avec nos nains?

PEDRO - En plus, les nains, ils sont d'accord pour qu'on les lance. Je l'ai dit au juge. Il m'a répondu : « Peu importe. » Pourtant, c'est important qu'ils soient d'accord.

JOSÉ - Nous ne les exploitons pas. C'est notre gagne-pain mais aussi le leur. Nous partageons les bénéfices.

MARIE - C'est une question de dignité humaine.

SUZANNA - Qu'est-ce que la dignité humaine a à voir là-dedans?

JOSÉ - Enfin, ils sont d'accord, ils sont payés, ils sont applaudis par le public… C'est un travail comme un autre…

PEDRO - Pierrot et Marcus – ce sont les nains qui travaillent avec nous – sont devenus nos potes. On mange ensemble, on sort ensemble le samedi soir après le spectacle… On a de l'estime pour eux, c'est comme des frères…

MARIE - Certes…

JOSÉ - Où il est, alors, le problème?

MARIE - Je sais que vous n'avez aucun mépris pour eux, que vous ne les maltraitez pas. Je me souviens du grand-père qui s'est enfermé de tristesse une semaine dans sa chambre quand un de ses nains est mort…

JOSÉ - Alors pourquoi le juge et les autres nous regardent comme des bourreaux, des monstres? Et l'autre, qui s'est essuyé discrètement après m'avoir serré la main comme si je l'avais sali…

MARIE - Bien sûr, vous ne pensez pas à mal, mais les nains, quand vous les lancez, sont traités comme des objets. N'est-ce pas profondément indigne de traiter un homme comme un objet ?

PEDRO - Et les femmes à poil dans les magazines, elles sont pas traitées comme des objets ?

Marie regarde pensivement le trapèze puis quitte sa veste et sa jupe de tailleur.

MARIE - Sans doute. Mais c'est le domaine où la dignité humaine se heurte à la liberté d'expression.

PEDRO - C'est ma manière à moi de m'exprimer, mon numéro de foire. Et le public aime ça.

MARIE - Justement. Ce n'est pas très sain de rire d'un nain qu'on fait rebondir comme une balle.

SUZANNA - Donc ce qu'ils font, tous les quatre, comme une bonne plaisanterie qui leur fournit en plus l'argent de leur pitance, c'est criminel ?

MARIE - Criminel est un bien grand mot. Mais la société ne peut pas approuver de tels agissements.

PEDRO *(à Marie qui monte à l'échelle)* - Mais tu nous comprends, toi ? Attention, tu vas te faire du mal. Tu n'as pas touché à un trapèze depuis cinq ans.

MARIE - Je vous comprends et je ne vous comprends pas.

JOSÉ - Ça veut rien dire. Ou tu es avec nous, ou tu es contre nous.

MARIE *(sur le trapèze)* - Mon Dieu ! J'y arrive encore ! Regardez, je n'ai rien perdu de ma souplesse !... Je vous comprends parce que j'ai baigné là-dedans depuis que je suis petite, parce que je sais dans quel esprit ça se fait, avec cette espèce de bonhomie gouailleuse qui entoure les numéros de foire, cette dureté aussi : « Tu es nain, tu l'assumes et tu en tires partie. » Mais si tu essaies de réfléchir un peu, d'analyser les rapports entre les hommes, tu te dis qu'on n'est pas loin de certaines formes d'esclavage et que c'est profondément choquant.

PEDRO - Tu penses ça, toi?

JOSÉ - Tu aurais honte de dire que ton grand-père lançait des nains, et que ton frère et ton beau-frère…

MARIE - Oui, j'aurais honte.

PEDRO *(à José)* - Ils ont peut-être raison, tous. On ferait peut-être mieux d'arrêter.

SUZANNA *(remontant sur le trapèze)* - Demandez à Marcus et Pierrot ce qu'ils en pensent, ce sont les premiers concernés.

MARIE - Marcus et Pierrot seraient d'accord pour continuer. Je ne les connais pas mais je mettrais ma main au feu qu'ils sont bien ennuyés de la tournure que prennent les événements.

JOSÉ - Pour sûr.

MARIE - Ils font ça depuis des années. Ils sont habitués à être un objet de risée générale et à gagner, par ce biais, leur pain quotidien. Mais la société se doit de leur rendre leur dignité, même s'ils ne le demandent pas.

SUZANNA - Et la société réalise tout ça tout d'un coup, alors que depuis des siècles…

MARIE - La Déclaration des droits de l'homme a négligé les foires. On a pu y poursuivre jusqu'à nos jours ces coutumes moyenâgeuses… Lance-moi les balles, José.

José - Et la société se demande comment ils vont gagner leur croûte, nos nains ?

Marie - Elle a créé des emplois réservés.

Suzanna - Du parking handicapé à la caisse prioritaire et à l'emploi réservé, tu crois qu'ils vont pas se sentir mis dans un placard avec une étiquette « ayez pitié de nous » grosse comme ça au milieu du front ?… Attrape-moi la main gauche. Non, la gauche. Tu y arriveras avec un peu plus d'élan !

Marie - Tu as quelque chose de mieux à proposer ? Elle fait ce qu'elle peut, la société, pour que chacun se sente respecté. Des gens ont réfléchi à tout ça.

Pedro - Des gens comme toi ?

José - Si on supprime tout, les nains, les femmes à barbe, le dressage des singes et les fauves en cage, on n'a plus qu'à fermer les cirques.

Marie - Nous, nous traitions bien nos animaux. Mais dans certains cirques…

Suzanna - Tu es donc d'accord avec eux sur tout ?

Pedro - Tu n'es vraiment plus de notre monde.

Marie - Un cirque d'acrobates, de trapézistes…

Suzanna - … qui risquent leur vie pour faire vibrer les foules ? C'est pas malsain, ça ?

Pedro *(les regardant sur leur trapèze)* - Continuez, continuez… Lâche-toi, Marie-Ange, Suzanna saura te recevoir comme autrefois. Regarde, José, elles sont toujours aussi agiles, aussi belles…

Marie - Nous pourrions monter un cirque différent. Pedro, tu es un excellent clown. José jongle à merveille. Sergio reviendrait…

José *(à Suzanna)* - Tu ne lui as pas dit pour Sergio ?

Suzanna - J'ai pas pu. J'ai jamais su apprendre les mauvaises nouvelles. J'ai raconté un bobard, une histoire de garage.

Marie - Qu'est-ce qui est arrivé à Sergio ?

Pedro - Rejoins d'abord la terre ferme. Tiens, monte sur mes épaules. Voilà… Sergio est mort, Marie-Ange.

Marie - Mort, Sergio ? Mon Sergio ?

José - Il est tombé de son fil pendant le spectacle. Il avait changé depuis ton départ. On aurait dit qu'il n'arrivait plus à se concentrer.

Marie - Vous voulez dire que…

Pedro - Non, c'est un accident comme il aurait pu arriver à n'importe lequel d'entre nous.

Marie - Ce n'est pas un accident. Un jour, Sergio m'avait dit : « Si tu partais… »

Suzanna - À quoi ça sert de lui avoir dit la vérité ? À lui faire mal ?

Marie - Et vous l'avez enterré sans même me prévenir ?

José - Tu étais loin. Et puis il y avait… l'autre.

Suzanna - Son mari, elle l'a épousé pour la façade. Mais c'est Sergio qu'elle aimait.

Pedro - C'est fini maintenant, tout ça. Tu as fait ta vie, tu n'as rien à regretter.

MARIE - Sergio est mort…

PEDRO - Relève-toi, Marie-Ange, ne reste pas comme ça, recroquevillée dans le sable. La vie continue. Remonte sur le trapèze, ta place est là-haut.

MARIE *(se relevant et rejoignant le trapèze, comme une somnambule)* - Risquer sa vie pour quoi, pour qui?

JOSÉ - Tu nous suivrais vraiment dans un nouveau projet, un cirque… différent, ou c'était juste pour dire?

MARIE - Je ne sais pas… Je ne sais plus…

SUZANNA - Balance-toi, Marie-Ange, trouve ton équilibre, prends de la vitesse…

Un portable sonne.

JOSÉ - Marie-Ange… Dans la poche de ta veste de tailleur…

MARIE - Décroche.

JOSÉ *(décrochant, puis lui tendant le portable)* - C'est pour toi.

MARIE *(comme sortant d'un rêve)* - Marie? (…) Oui, c'est moi, Marie. C'est toi? (…) Oui, je t'avais demandé de venir me chercher. (…) Il est tard? Oui, il est tard. Je suis dans le chapiteau. (…) Sur le terrain vague, derrière le centre commercial, tu vois? (…) À pied, tu en as pour un quart d'heure en passant par la foire. (…) Oui, je t'attends. (…) Qu'est-ce que je fous là? C'est toute une histoire, je te raconterai… peut-être… *(Elle raccroche.)*

PEDRO - Tu n'aurais pas dû lui dire de venir ici. Je n'ai pas envie de le voir.

52

SUZANNA - Qu'est-ce qu'il sait de nous ?

MARIE - Rien. Il ne connaît pas votre existence.

JOSÉ - Qu'est-ce qu'on lui dit, alors ? Comment on se présente ?

MARIE - On verra bien. On verra bien comment ça tourne. Et ce cirque, ce nouveau cirque, vous le voyez comment ?

PEDRO - Notre chapiteau se déchire de partout et les gradins sont tout branlants. Il faudrait d'abord réparer tout ça. Et puis ces rayures bleues et blanches, ça fait vraiment ringard. Il faudrait trouver autre chose…

JOSÉ - Des étoiles…

PEDRO - Non, autre chose. Le cirque, c'est pas que des rayures et des étoiles ! Il faut inventer quelque chose de neuf, pas du déjà-vu…

SUZANNA - Ça fait des mois que je vous dis qu'il faut de nouveaux projos et une table de mixage ; les jeux de lumières, c'est important…

Arnaud entre, costume, cravate, très élégant, la quarantaine.
Il a l'apparence d'un dandy un peu lunaire.

ARNAUD - Messieurs, madame, je vous salue bien bas. Qu'est-ce que tu fais là-haut en body noir, ma chérie ? J'ignorais que le trapèze fît aussi partie de tes dons… Sois prudente, tiens-toi bien. Mieux vaut laisser ce genre d'acrobatie aux gens de cirque. Même si ces messieurs-dames t'ont montré quelques rudiments, tu n'es pas une spécialiste. Je t'en prie, ma chérie, descends, tu me fais mal au cœur à te balancer ainsi, et puis cette demi-nudité devant des inconnus… Tu leur as donné la pièce, au moins, pour la leçon de trapèze ? Sais-tu que j'ai failli ne jamais arriver? Je me suis perdu dans cette espèce de foire que tu m'as fait traverser! J'ai même croisé, dans l'incommensurable dédale, une baraque – tu ne vas pas me croire – qui proposait aux badauds une attraction de lancer de nains. Lancer de nains! Tu te rends compte? On se serait cru au Moyen Âge! À une époque où l'on ne cesse de s'interroger sur les méandres de la bioéthique, il existe encore des montreurs de foire qui peuvent lancer le nain en toute impunité! Où sont les droits de l'homme? Où est la dignité humaine qui est censée être le socle de la société contemporaine?… Mais que vois-je dans le sable à tes pieds? Ton portable et ta carte bleue qui ont dû tomber de la poche de ton tailleur dans ton déshabillage intempestif! Comme tu es négligente, ma chérie, et confiante. Trop confiante! On ne laisse pas traîner sa carte bleue ainsi, surtout chez les forains. Même si ceux-là m'ont l'air fort sympathiques, il faut tout de même se méfier, on ne sait jamais. Allez, descends maintenant ma chérie. Je te remercie infiniment de ta petite démonstration, tu es très douée. Je ne peux malheureusement pas te proposer d'installer un trapèze dans notre loft parisien, mais dans la villa normande, pourquoi pas? *(Se tournant vers Pedro, José et Suzanna.)* Elle est ainsi : fantasque, imprévisible… C'est là tout son charme. Elle aime sortir du quotidien, s'encanailler… Vous lui avez fourni une occasion de rêve et je ne saurais trop vous en remercier…

PEDRO - Arrête!

ARNAUD - Pardon?

PEDRO - Arrête ou je vais te casser la gueule!

JOSÉ - Sors de ce chapiteau! Tu ne vois pas que nous travaillons?

Arnaud - Mais… Marie…

Pedro - Il n'y a pas de Marie, ici, nos trapézistes s'appellent Suzanna et Marie-Ange.

Arnaud - Il s'agit de ma femme, messieurs, là, sur ce trapèze, et je lui ai offert ce body noir pour la Saint-Valentin. Oui, je sors… Non, ne poussez pas… Enfin, c'est incroyable, Marie. Dis-leur, Marie…

Il sort, poussé par Pedro et José qui sortent aussi. Suzanna et Marie-Ange restent seules, chacune sur un trapèze. Elles se balancent doucement.

Suzanna - On prend de l'élan ?

Marie - On prend de l'élan !

Suzanna - Et cette fois-ci, c'est moi qui saute. Prête à me recevoir ?

Marie - Le saut de l'ange ?

Suzanna - Le saut de l'ange !

Suzanna - Parée ?

Marie - Parée !

Suzanna - Un, deux, trois…

La lumière baisse progressivement sur les dernières répliques.

FIN

AVIS IMPORTANT

Cette pièce de théâtre fait partie du répertoire de la Société des Auteurs et Compositeurs Dramatiques, 11 bis rue Ballu 75442 PARIS Cedex 09. Tél. : 01 40 23 44 44. Elle ne peut donc être jouée sans l'autorisation de cette société.

Nous conseillons d'en faire la demande avant de commencer les répétitions.

Achevé d'imprimer par EDICOM DIRECT
2e trimestre 2007
Première édition, dépôt légal : juin 2007
N° d'édition : 200729
ISBN : 2-84422-581-0